camping

roeiboot

surfer

kano

lijnen

tent

slagboom

AVI: 5*

Leesmoeilijkheid: Woorden met -lijk, die uitgesproken worden als -luk

Thema: Kamperen

* Zonder de leesmoeilijkheid is het AVI-niveau: AVI 4

Zwijsen

Peter Smit

Herrie om de tent

met tekeningen van Jan de Kinder

Bikkels

1. De eerste prijs

'Daan! We hebben hem!'
Daan kijkt om.
Jorn komt de hoek om rennen.
Hij heeft een brief in zijn hand.
'We hebben de prijs,' roept Jorn.
Daan steekt zijn armen in de lucht.
'De prijs van de schatkaart?'
Jorn maakt een sprong.
Zijn bril valt bijna van zijn neus.
'Eerlijk waar, we hebben hem!
We mogen een week naar een camping!'
De twee vrienden lezen de brief.

Beste Jorn en beste Daan.
Ik heb heerlijk nieuws voor jullie.
Jullie schatkaart vind ik het beste.
Dus jullie winnen de prijs.
Een week gratis naar een camping!
De camping heet: 'De Goudkust'.
In totaal mogen er zes mensen mee.
Die mogen gratis roeien en surfen.
Eten en drinken zijn ook gratis.
De baas van de camping past op jullie.
Hij belt jullie ouders vandaag op.

Ik wens jullie een fijne week!

'Zie je dat?' vraagt Daan.
'Er mogen zes mensen mee.
We kunnen dus vier vrienden vragen.
Wie neem jij mee?'
'Roos,' zegt Jorn.
'Dan moet je Nina ook vragen,' zegt Daan.
'Anders gaat Roos niet mee.'
Jorn knikt.
'Dan vraag ik Roos en Nina.
Wie ga jij vragen?'
Daan denkt diep na.
'Moos en Arend,' zegt hij dan.
'Want hun vader is boer.
Zij weten vast veel van de natuur.
Dat is natuurlijk nodig als je kampeert.'
'Laten we het nu gaan vragen,' knikt Jorn.

Moos en Arend willen graag mee.
Roos en Nina gaan het thuis vragen.
De vader van Nina komt naar buiten.
'Hoe komt het dat jullie naar die camping mogen?'
Daan legt het uit.
'Jorn en ik maakten een schatkaart.
Dat deden we zo echt mogelijk.

8

We namen een vel heel oud papier.
We schreven met inkt uit een pot.
Daarmee wonnen we de prijs.'
'Het mag,' zegt de vader van Nina.
'Maar ik breng jullie weg.
Is dat goed?'
Daan en Jorn knikken.
'Wanneer gaan we?' vraagt Nina.
'Over twee weken,' zegt Jorn.

Twee weken later is het zover.
De vader van Nina heeft een bus.
Daan stapt als laatste in.
Hij heeft een slaapzak en een tas.
Zijn polsstok heeft hij ook bij zich.
Die stok mag eerst niet mee.
'Hij is te lang,' zegt de vader van Nina.
'Neem maar een bal mee.'
Daan schudt zijn hoofd.
'Ik moet veel trainen,' zegt hij.
'Na de zomer is er een grote wedstrijd.
Die kan ik winnen, als ik train.'
'Hij kan het heel goed, pap,' zegt Nina.
'Hij springt zó het dak op.
Eerlijk waar!'

De vader van Nina gelooft het niet erg.
'Ja ja,' zegt hij.
'Dat zal best.'
'Echt waar,' roept Nina.
Roos wijst naar haar huis.
'Hij springt zo door dat raam naar binnen.'
De vader van Nina kijkt naar het dakraam.
Dat raam staat open.
Dan kijkt hij naar Daan.
'Kun jij echt door dat raam springen?'
'Makkelijk,' knikt Daan.
'Dat moet ik zien,' zegt Nina's vader.

Daan pakt zijn stok.
Eerst kijkt hij naar het raam.
Dan neemt hij een aanloop.
Hij springt en zeilt door de lucht.
Dwars door het raam naar binnen!
Even later is Daan weer bij de auto.
'Mooie sprong,' zegt de vader van Nina.
Hij bindt de stok op het dak van de bus.
Dan rijdt hij naar de camping.

2. De Fiegters

'Jongens, we zijn er.'
De bus stopt voor een slagboom.
Naast de slagboom staat een bord.

HARTELIJK WELKOM
CAMPING DE GOUDKUST

Daan kijkt om zich heen.
Er staan veel bomen en heggen.
In de verte ziet hij een groot meer.
'Kijk daar,' roept Nina.
'Ik zie surfers!'

Een man tikt op het raam van de bus.
'Heeft u een plaats op mijn camping?'
De vader van Nina schudt zijn hoofd.
'Dan moet u terug,' zegt de man.
'Er is geen plaats meer vrij.'
'Maar wij hebben de prijs!' roept Jorn.
'Dat staat in deze brief.
Hier, leest u maar.'
De man pakt de brief en leest.
'De prijs van de schatkaart!
Zeg dat dan meteen!

Natuurlijk heb ik plaats voor jullie.
Ik ben meneer Van Riel.
Rij maar achter mij aan.'
De man stapt op een fiets.
De bus rijdt langzaam met hem mee.

Bij een grasveld stapt de man af.
'Hier is jullie plaats,' zegt hij.
'Mooi hè?'
Naast het grasveld staat een heg.
Achter het veld is een boomgaard.
De appels aan de bomen zijn rood.
Aan de voorkant ligt het meer.
'Het is heerlijk hier,' zegt Nina's vader.
'Wat vinden jullie, jongens?'
'Vet mooi,' zegt Arend.
'Dat is niet goed,' zegt Jorn.
'Het is vet gaaf, of vet goed.
Vet mooi, dat is niks.'
'Vet gaaf dan,' zegt Arend.
'Jij je zin, stuutje.'
'Geen ruzie maken,' zegt Nina's vader.
'Haal liever de spullen uit de bus.
Dan zetten we de tent op.'

'Wat is dat?' wijst meneer Van Riel.

'Dat is mijn polsstok,' zegt Daan.
Dat komt goed uit,' zegt meneer Van Riel.
'Morgen is hier een wedstrijd.
Bij de sloot naast het sportveld.
Doe je mee?'
Er komen mensen aan.
'Wat is dit?' vraagt een boze stem.
Daan kijkt om.
Op het pad staat een grote jongen.

Naast hem staan een man en een vrouw.
Ze zien er niet vriendelijk uit.
'Dit is onze plek,' zegt de vrouw.
Wij hadden deze plek het eerst.
Toen zijn we onze tent gaan halen.
Nu pikken jullie onze plek in.
Dat is niet eerlijk.'
Meneer Van Riel schudt zijn hoofd.
'Deze plek was niet vrij.'
De vrouw kijkt vreselijk boos.
'Wij zijn de Fiegters,' zegt ze.
'Wij hebben gebeld of er nog plaats was.
Eerst zei u van wel.
Maar nu is er opeens alles vol!
U moet u ons geld geven voor een hotel.'

15

Meneer Van Riel pakt een boekje.
'De Fiegters,' mompelt hij.
'Dat klopt, u heeft gelijk.
Er is voor u een plek naast de wc.'
De Fiegters kijken nu nog bozer.
Mevrouw Fiegter stikt haast van woede.
'Wij Fiegters, naast de wc?
U kunt de pot op!
Zet die kleintjes maar naast de wc!'
'Nee,' zegt meneer Van Riel.
De Fiegters worden rood van woede.
Wat kijken ze lelijk, denkt Daan.
Het lijken wel varkens met kiespijn.
Vader Fiegter pakt zijn beurs.
'En als wij wat meer geld geven?'
'Het blijft nee,' zegt meneer Van Riel.

Dan gaan de Fiegters eindelijk weg.
Ze mokken en ze klagen.
Af en toe kijken ze om.
Dan kijken ze heel vals.

Als de tent staat, gaat Nina's vader naar huis.
Meneer Van Riel geeft hem een hand.
'Ik let goed op ze,' zegt hij..
'Als er wat is, dan bel ik u meteen.'

Nina geeft haar vader een kus.
De rest geeft hem een hand.
'Bedankt, vader van Nina,' roept Moos.
Dan rijdt Nina's vader weg.

'Zullen we gaan roeien?' stelt Daan voor.
Dat vinden ze een goed idee.
'Ik heb kano's gezien,' zegt Roos.
'Misschien kunnen we kano's huren.'
Maar eerst krijgen ze nog bezoek.
'Hé ukkies, kom eens hier.'
Daan en Jorn kijken om.
Het zijn de Fiegters.
'We gaan plaatsen ruilen,' zegt de man.
'Jullie gaan naar onze plaats.
En dan gaan wij hier staan.
Nou?'
De jongen zwaait met zijn vuist.
Hij kijkt dreigend naar Daan en Jorn.
'Of willen jullie een pak slaag?'
'Niet lelijk doen, Jurrie,' zegt pa Fiegter.
Hij haalt geld uit zijn zak.
'Pak aan,' zegt hij tegen Daan.
'Tien euro voor patat en ijs.'
Daan schudt zijn hoofd.
'Wij krijgen gratis patat,' zegt hij.

17

'Zoveel als we willen,' vult Jorn aan.
'Dat hoort bij de prijs.'
Meneer Fiegter wordt bleek.
Hij lijkt misselijk te worden.
'Zelf weten,' zegt hij.
'Jurrie, kom mee.
We krijgen ze nog wel.'
Jurrie Fiegter spuugt op de tent.
Dan draait hij zich om.
'Wat een schurken,' zegt Moos.
'Wat een monsters,' zegt Arend.
'Laten we gaan roeien,' zegt Jorn.
'Hopelijk zijn we nu van ze af.'

Ze roeien de hele middag.
Pas als het avond is, stoppen ze.
Ze gaan eerst patat eten.
Daarna gaan ze terug naar de tent.
Die ligt plat op de grond.
De scheerlijnen zijn stuk geknipt.
De haringen zijn uit de grond gerukt.
'De Fiegters!' roept Arend.
'Wat een boeven!'
'We gaan mijn vader bellen,' roept Nina.
'Die maakt gehakt van ze!'
Daan en Jorn kijken naar de lijnen.
'We knopen ze aan elkaar, Jorn.
Daarna slaan we de haringen in de grond.
Dan staat de tent weer rechtop.'

Na een half uur staat de tent weer goed.
'We moeten hier blijven,' zegt Moos.
'Anders maken ze hem weer kapot.'
'Au!' roept Roos.
Ze grijpt naar haar hoofd.
Naast haar valt iets op het gras.
Het is een steen met een brief eraan.
Roos raapt de steen op.
'Wat staat erop?' vraagt Nina.
Roos leest het voor.
'Vannacht wordt het gevaarlijk.'
Roos en Nina kijken elkaar bang aan.
Moos en Arend zuchten.
Daan slikt.
'Zullen we naar huis gaan?' vraagt Roos .
Jorn schudt zijn hoofd.
'We laten ons niet kisten.
We moeten om de beurt wakker blijven.
Die boeven krijgen mooi hun zin niet!'

3. De wedstrijd

Daan wordt al vroeg wakker.
Jorn zit voor de tent.
Hij houdt de wacht.
'Ik ga brood halen,' zegt Daan.

In de winkel is het druk.
Er staat een lange rij.
Meneer Fiegter staat ook in de rij.
'Zo knul, wat zie je wit,' zegt hij.
'Je lijkt wel een lijk.
Heb je soms slecht geslapen?'
Hij grinnikt vals.
Daan geeft geen antwoord.
Hij kijkt naar de broodjes.
Zijn maag knort.

Meneer Fiegter is aan de beurt.
Hij wijst naar de broodjes.
'Ik wil graag alle broodjes,' zegt hij.
Het meisje van de winkel schrikt.
'Dan hebben de anderen niets meer.'
'Dat moet ook,' zegt meneer Fiegter.
Hij kijkt om naar Daan.
'Ruilen voor jullie plaats?' vraagt hij.

Bij de tent wachten allen op Daan.
'Honger!' roept Arend.
'De broodjes zijn op,' zegt Daan.
'De Fiegters hebben alles gekocht.
Met opzet, om ons te pesten.'
'We moeten iets eten,' zegt Arend.
'Ik heb vreselijk veel honger.'
'Honger?'
Jorn kijkt opeens heel vrolijk.
'Dat is waar ook,' zegt hij.
Ik heb een tros bananen bij me.
En een spuitbus met slagroom.'
Ieder krijgt twee bananen met slagroom.
'Smakelijk,' zegt Roos.
'Wat doen we met de schillen?
Naar de Fiegters gooien?'
Daan kijkt op de wekker.
'Over twee uur begint de wedstrijd.
Zullen we vast kijken waar het is?'

De wedstrijd is bij een brede sloot.
Meneer Van Riel is er al.
Hij spant een touw langs het water.
Daar moeten de mensen achter blijven.
Aan een boom hangt een papier.
Daarop staan de mensen die meedoen.

23

Daan leest.
Zijn naam staat als laatste op de lijst.
Er staan nog veertien namen op.
Daan kent er maar een van.
Dat is Jurrie Fiegter ...

De wedstrijd begint.
Bij de sloot staan wel honderd mensen.
Daan kijkt naar de rest van de springers.
Er is een heel lange jongen bij.
De rest van de springers is ook groot.
Daan is de kleinste.
'Doet die kleine ook mee?' vraagt iemand.
'Is dat niet gevaarlijk voor hem?'

Meneer Van Riel fluit.
'De wedstrijd begint,' zegt hij luid.
'Dit zijn de regels:
De langste springt het eerst.
De kleinste springt het laatst.
Wie in het water valt is af.
Na elke ronde gaan we een stuk naar rechts.
Daar wordt de sloot steeds breder.
Wie het laatst nat wordt, is de winnaar.
Of wie droog blijft, natuurlijk.
Snappen jullie dat?'

De mensen knikken.
Jurrie Fiegter steekt zijn hand op.
'Als de langste en ik over zijn.
En de langste valt in de sloot.
Ben ik dan de winnaar?'
'Ja,' zegt de baas van de camping.
'Daarom springt de langste het eerst.
Wie lang is, heeft voordeel.
En wie klein is, heeft nadeel.
Stel: de langste haalt het niet.
Dan is de kleinste vanzelf de winnaar.
Hij hoeft dan niet meer te springen.
Eerlijk is eerlijk.'

Jurrie Fiegter kijkt naar zijn vader.
'Dit ga ik winnen, pa,' roept hij.
'Die lange heeft nadeel!'
De lange jongen kijkt boos.
'Je moet niet zo stom doen,' zegt hij.
'Let er maar niet op,' zegt een ander.
'Hij probeert je kwaad te maken.
Hij hoopt dat je dan een fout maakt.'

De lange jongen pakt zijn polsstok.
Hij wrijft zijn handen droog.
Hij haalt diep adem.

'Lange, je veter is los,' roept Jurrie.

De jongen let er niet op.

Hij neemt een aanloop en springt.

Daan ziet dat de sprong goed is.

De lange jongen zeilt door de lucht.

Hij haalt het met gemak.

'Jammer!' roept Jurrie.

De andere springers klappen.

Het publiek juicht.

De tweede springer haalt het ook.

Maar de derde en de vierde niet.

Ze plonzen in het water.

Vol kroos komen ze aan de kant.

De mensen lachen en klappen.
Jurrie lacht met opzet heel hard.
Dan is hij zelf aan de beurt.
Hij pakt de polsstok.
Daan hoopt dat Jurrie het niet haalt.
Maar hij haalt het wel.
'Ik ga winnen,' roept Jurrie.
'Ik ben de beste!'

Na Jurrie vallen er een paar in het water.
Vier anderen halen het wel.
Dan is Daan aan de beurt.
Veel mensen schudden met hun hoofd.
Dit kan niet goed gaan, denken ze.
Die kleine jongen haalt het nooit.

Een paar mensen klappen juist heel hard.
'Kom op, kleine!'
'Doe je best!'
'Je kan het,' roepen Nina en Roos.
Daan haalt drie keer diep adem.
Hij pakt zijn stok stevig vast.
Hij springt en zeilt over de sloot.
Even is het stil.
Dan begint het publiek te juichen.
'Zag je die kleine?
Die kan goed springen, man!'

Er zijn zeven springers over.
Die gaan naar de tweede ronde.
De sloot is nu een stuk breder.
De lange jongen haalt het.
Hij springt sierlijk over de sloot.
Na hem gaan er vier de sloot in.
Jurrie Fiegter haalt het wel.
Dan is Daan aan de beurt.
Hij pakt zijn stok vast.
Hij doet zijn ogen dicht.
Drie keer haalt hij diep adem.
Dan begint hij zijn aanloop.
'Kijk uit, achter je!' roept Jurrie.
Daan springt en ... hij haalt het!

De derde ronde begint.
De sloot is nu heel erg breed.
'Dat haalt niemand,' zegt iemand.
Meneer Van Riel fluit.
De lange jongen neemt een aanloop.
Hij haalt het nét.
Alle mensen juichen.
Maar de jongen kijkt niet vrolijk.
Zijn voet doet pijn.
Hij hinkt weg.
Nu is Jurrie aan de beurt.
Het is heel stil.
Geen mens klapt of juicht.
Tot Jurrie in het water plonst.
Het publiek lacht heel hard.
'Net goed,' roepen Nina en Roos.
Fiegter loopt kwaad weg.
Daan is nu aan de beurt.
Hij neemt een lange aanloop.
Hij springt heel ver.
Maar is het ver genoeg?
'Jaaa!!!' roepen alle mensen.
De vrienden springen op.
Daan heeft het gehaald!

De lange jongen hinkt naar Daan toe.

Zijn voet doet duidelijk zeer.
Hij geeft een hand.
'Ik kan niet meer springen,' zegt hij.
'Dat is te pijnlijk.
Jij wint.'
Meneer Van Riel komt naar hen toe.
Hij geeft Daan een hand.
Dan brengt hij de jongen naar een dokter.

De vrienden gaan terug naar de tent.
Maar wat zien ze?
Hun tent is weg!
De tent van de Fiegters staat er!

4. Daan verzint een list

Roos en Nina gaan hulp halen.
Ze gaan naar de baas van de camping.
Even later zijn ze terug.
'Het is heel erg,' zegt Roos.
'Meneer Van Riel komt pas laat terug.
Zijn moeder is jarig.'
Nina zucht.
'Was Mazin maar met ons mee,' zegt ze.
'Die kan de Fiegters laten schrikken.
Net als toen, met zijn spookpaard.'
'Ik heb onze tent gezien,' zegt Roos..
'Hij ligt bij het vuilnis.
Zullen we maar bij de wc gaan staan?'

Als de tent staat, gaat Daan zitten.
'Ik heb een plan,' zegt hij.
'We maken weer een schatkaart.
Die moet er oud uitzien.
Op deze camping teken ik een schat.
Recht onder de tent van de Fiegters.
Zullen we dat doen?'
'Waarom wil je dat?' vraagt Moos.
Daan legt het uit.
'Die schatkaart leggen we op het strand.

Daar vindt iemand hem.
Die wil dan natuurlijk de schat hebben.
Dus gaat hij een kuil graven.
Onder de tent van de Fiegters!'

Ze zoeken tussen het vuilnis.
Moos vindt een oud boek.
'Is dit wat, Daan?' vraagt hij.
Daan kijkt in het boek.
Het laatste blad is leeg.
Dat scheurt hij eruit.
Hij tekent de camping en het meer.
Hij zet er een rode pijl op.
Onder de pijl schrijft hij:

1 kist met geld
2 potten met goud
1 pot met zilver

'Waar doen we de kaart in?' vraagt Jorn.
'In die oude jas,' zegt Daan.
'Die leggen we op het strand.
Daar vindt iemand hem vast wel.'

Bij het vuilnis ligt een oude jas.
Hij is groot en zwart.

Daan stopt de kaart erin.
De jas begraaft hij half in het zand.
Een deel steekt boven het zand uit.
Dan gaan de vrienden op de loer liggen.
Een man ziet de jas.
Hij loopt door.
Een vrouw ziet de jas.
Zij loopt door.
Twee meisjes lopen ook door.
Roos en Nina zuchten.
'Niemand pakt de jas,' zegt Roos..
Dan stoot Moos haar aan.
'Kijk eens wie daar komen.'

Pa en ma Fiegter lopen langs de jas.
Jurrie schopt ertegen.
'Kijk, pa,' roept hij.
'Er zit iets in!'
Jurrie bukt.

Hij haalt de schatkaart uit de jas.
'Het is een vel papier,' roept hij.
'Er staat iets op!'
De Fiegters kijken op de kaart.
Even praten ze met elkaar.
Dan ... gaan ze weer naar hun tent!

5. De Fiegters gefopt

De vrienden liggen onder de heg.
Ze kijken naar de Fiegters.
Die breken snel hun tent af.
Mevrouw Fiegter heeft de kaart.
'Daar is de schat,' sist ze.
'Snel graven, snel!
Niemand mag ons zien!'
Ze loert om zich heen.
Daan en zijn vrienden zijn heel stil.
Ma Fiegter ziet hen niet.
'Snel graven,' sist ma Fiegter weer.
De kluiten vliegen door de lucht.
De Fiegters hebben al een flinke kuil.
Pa Fiegter gaat rechtop staan.
'Hoe diep ligt de schat eigenlijk?'
'Hou je stil,' sist zijn vrouw.
'Niemand mag dit weten.
Je moet snel graven!
Ik wil een duur huis!'

Daan en Jorn stikken van het lachen.
Nina en Roos liggen in een deuk.
Moos en Arend hebben het niet meer.
Ze lachen niet hardop.

Als de Fiegters iets zouden merken ...

'Mag ik wat water,' vraagt pa Fiegter.
'Ik heb vreselijk veel dorst.'
'Spitten moet je,' sist zijn vrouw.
'Haal die schat uit de grond!
Zo snel mogelijk!'
'Ik heb ook dorst,' klaagt Jurrie.
Nu wordt ma Fiegter echt boos.
'Slappe dweilen zijn jullie!
Twee sukkels!
Bijna hebben we een schat!
Bijna zijn we rijk!
Jullie moeten spitten!'

Alle Fiegters zien vuurrood.
Ma Fiegter is rood van woede.
De andere twee zien rood van de warmte.
De kuil is al heel diep.
Alleen de hoofden steken er nog uit.
De Fiegters graven verder.
Ze steunen en ze kreunen.
'Ik heb vijf blaren,' jammert Jurrie.
'Mijn rug breekt bijna,' kreunt zijn vader.
Dan klinkt het geluid van een auto.
De auto stopt bij de Fiegters.

Het raampje van de auto gaat open.
Het is meneer Van Riel!
'Wat is hier aan de hand!' roept hij.
'Welke gek graaft hier een kuil?'
'We vonden een kaart,' zegt pa Fiegter.
'Met op deze plek een pijl.
Kijkt u maar, meneer Van Riel.
Hier ligt een schat in de grond.'
Meneer Van Riel kijkt op de kaart.
Hij knikt.
'En waar is de tent van de jongens?'
De Fiegters zwijgen.
'Die hebben we ...' zegt ma Fiegter.
'... ergens anders ...' zegt Jurrie Fiegter.
'... gezet ...' zegt pa Fiegter.

Meneer Van Riel kijkt naar de heg.
De vrienden weten dat ze zijn gezien.
Ze gaan staan.
'Geef die kaart eens,' zegt meneer Van Riel.
Hij steekt zijn hand uit.
Ma Fiegter geeft de kaart.
'We delen natuurlijk,' zegt ze.
'U krijgt de helft.'
Meneer Van Riel zegt niets.
Hij kijkt naar de kaart.

Dan kijkt hij naar de zes vrienden.
Hij knipoogt.
'Ik denk dat ik weet hoe het zit,' zegt hij.
'Het meer was vroeger groter.
Dit stuk land was toen nog water.
Pas achter de sloot begon het land.
U moet dus daar graven.
Maar eerst moet deze kuil dicht.
En u moet van mijn camping af.'
'Waarom?' wil pa Fiegter weten.
'Omdat deze plaats niet van u is.'
Meneer Van Riel kijkt hem boos aan.
'Ik hou niet van uw soort gasten,' zegt hij.
'Is dat duidelijk, meneer Fiegter?'
De Fiegters knikken.
Ze gooien de kuil dicht en gaan weg.
De vrienden komen het veld op.
De baas van de camping lacht.
'Wat een mooie list,' zegt hij.
'Ik trakteer op ijs.
Hebben jullie daar trek in?'

Even later zitten ze op het terras.
Ze eten ijs met warme kersen.
Het smaakt heerlijk.
Ze kijken naar de kant van de sloot.

Daar staan de Fiegters.
Ma Fiegter wijst een plek aan.
'Volgens mij is het hier,' zegt ze.
Pa Fiegter kijkt op de kaart.
'Volgens mij niet,' zegt hij.
'Het is daar, bij die heg.'
Ma Fiegter wordt kwaad.
'Ik zeg dat het hier is, sukkel!'
'Graaf dan zelf maar, kluns!'
Pa Fiegter gooit zijn schep op de grond.
'Ga graven!' schreeuwt ma Fiegter.

Even later schelden de Fiegters elkaar uit.
Ze roepen van alles wat lelijk is.
'Monster! Domme plurk! Kluns!'
De vrienden hebben dikke pret.
De baas van de camping knikt naar Daan.
'Weet jij eigenlijk wel wat je prijs is?'
'Welke prijs?' vraagt Daan.
'Voor het springen,' legt de baas uit.
'Je mag een week voor niets kamperen.
Met elke dag ijs met warme kersen.'

Naam: *Daan Hoef*
Ik woon met: *mijn moeder*
Dit doe ik het liefst: *boeken lezen en springen
met een polsstok*
Hier heb ik een hekel aan: *als anderen 'kleintje'
tegen mij zeggen*
Later word ik: *eerst piloot en daarna
schrijver (net als Roald Dahl)*
In de klas zit ik naast: *Bink*

Waarom zou Mazin lakens over zijn paard leggen
en zo de mensen laten schrikken met zijn spookpaard
(zie pagina 32)?
Lees het in 'Mazin te paard!'

Mazin te paard!

AVI 5

1e druk 2005

ISBN 90.276.8014.x
NUR 282

© 2005 Tekst: Peter Smit
Illustraties: Jan de Kinder
Vormgeving: Rob Galema
Uitgeverij Zwijsen B.V. Tilburg

Voor België:
Zwijsen-Infoboek, Meerhout
D/2005/1919/154